さかな
さかな
さかな

いとうりさ さく

さかな

ちいさい さかな

おおきい
さかな

みじかい
さかな

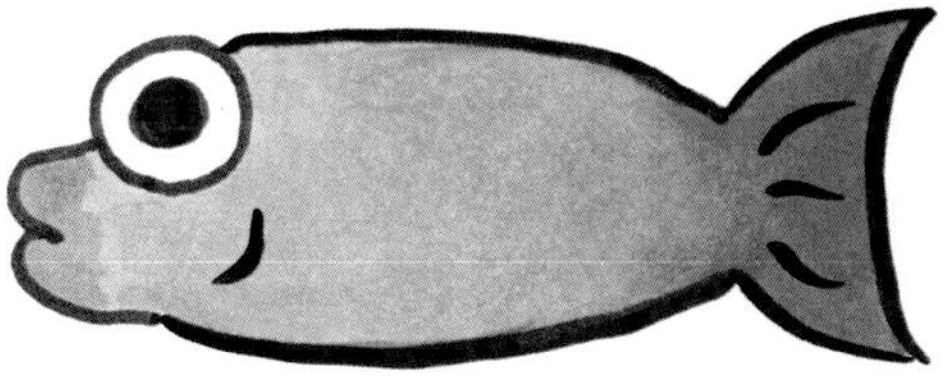

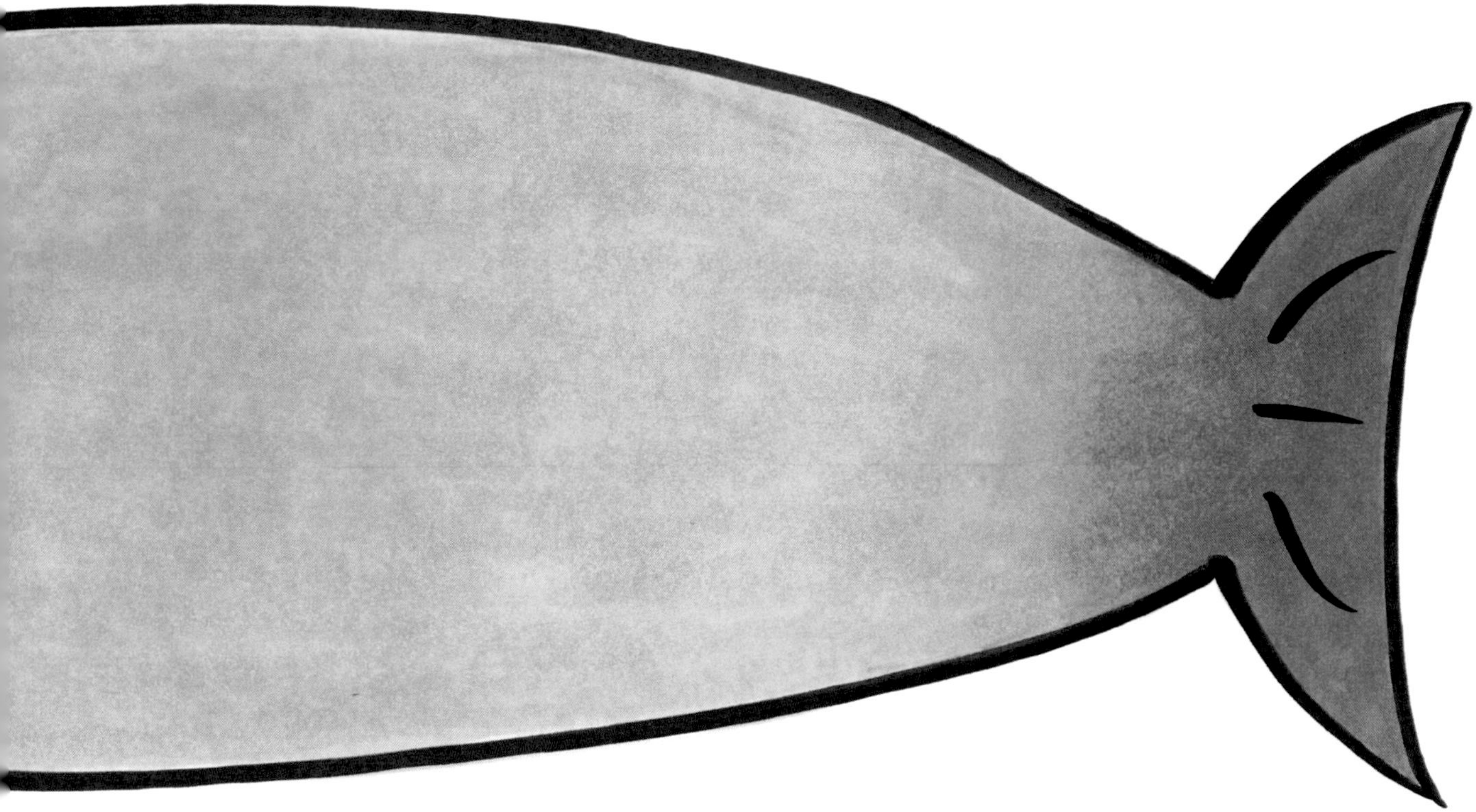

ながい
さかな

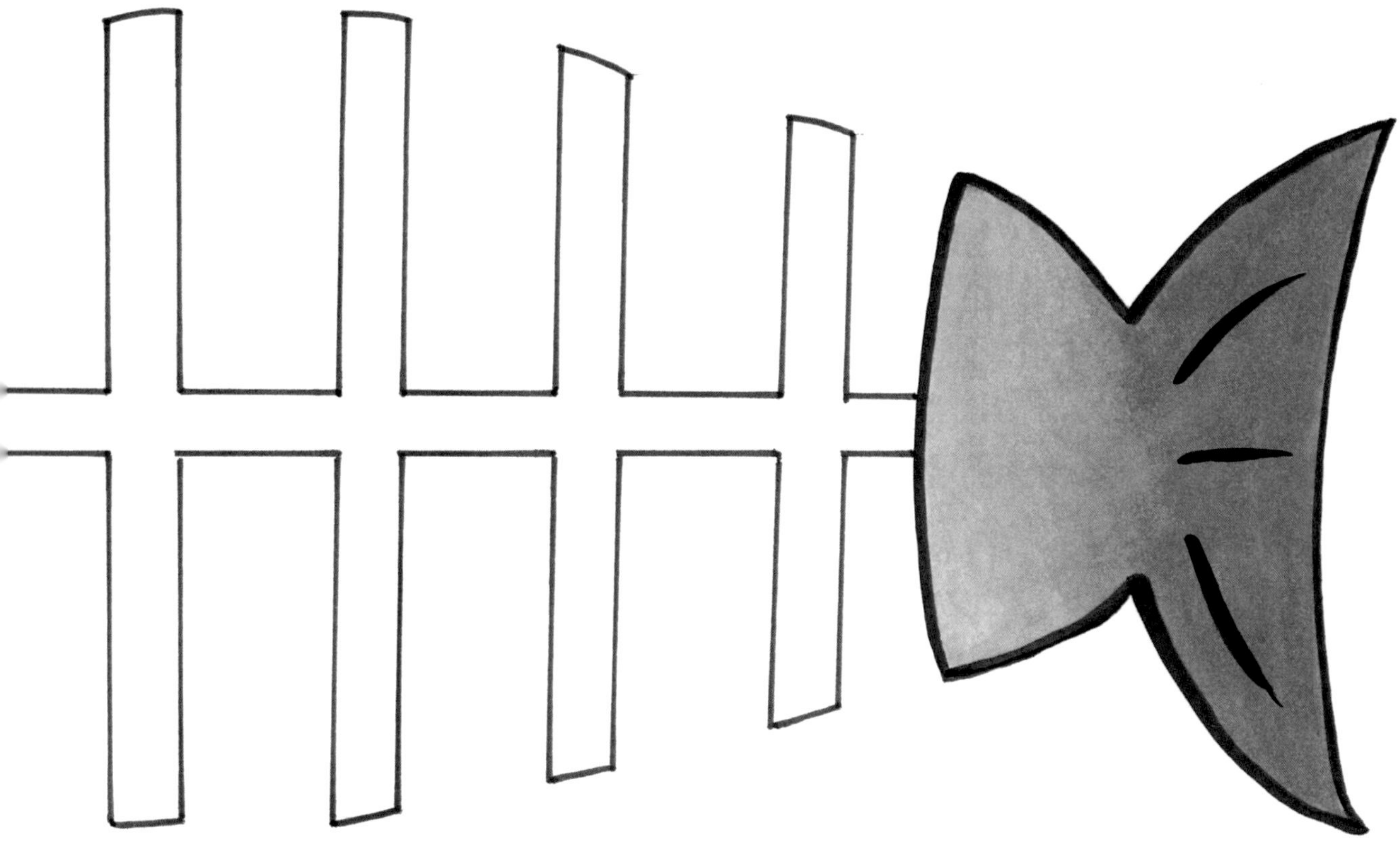

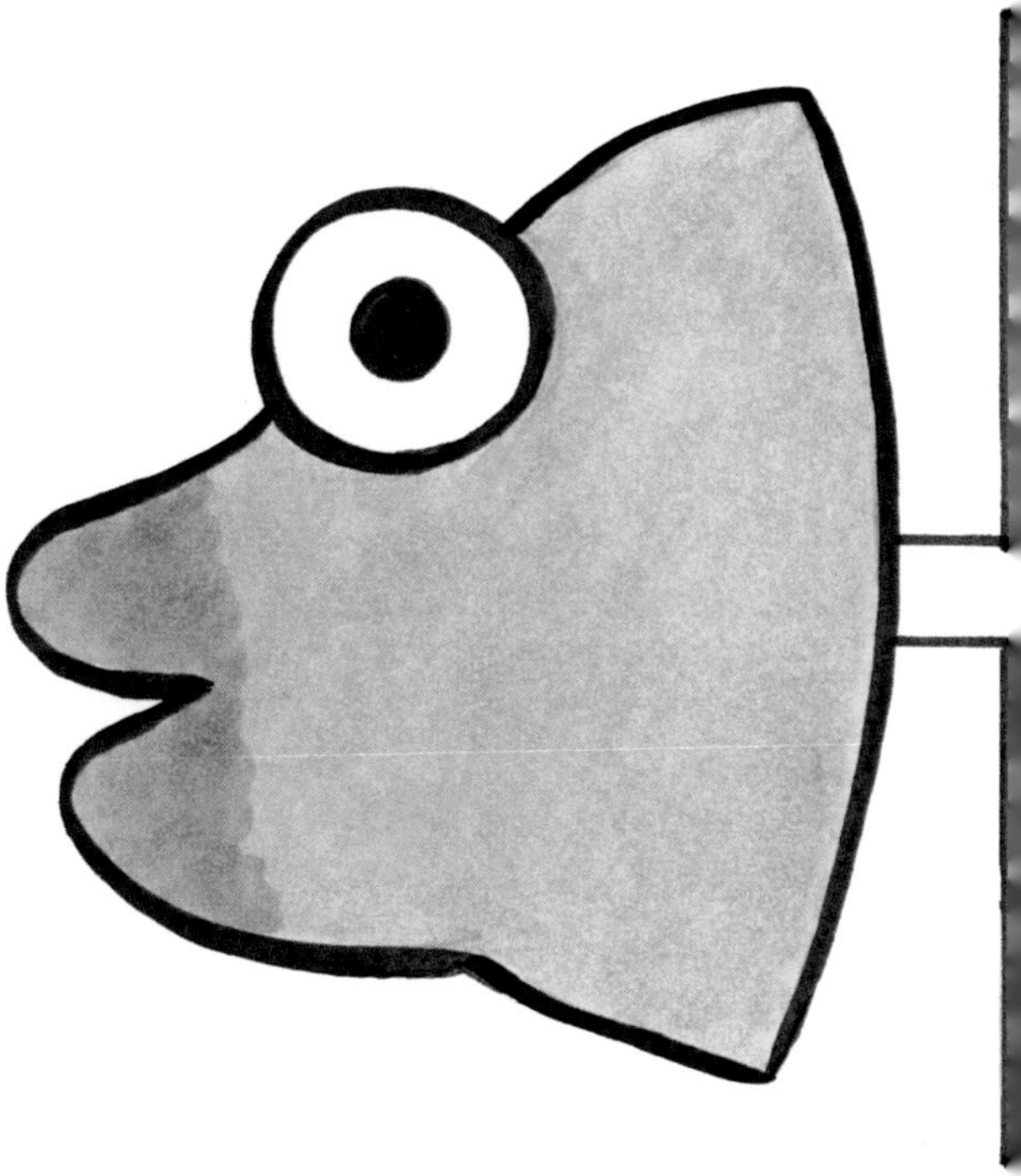

ほねになった
さかな

さかな

さかなが
いっぱい

おなじさかな
どれ？

＊絵本　取扱説明書＊

はじめに

　この度は、お買い求めいただきありがとうございました。読み聞かせをする前に、この説明書をよくお読みいただき末永くご愛用くださいますようお願いいたします。

☆絵本に興味を持ち始めたお子さんから、言語発達を促したいお子さん、文字に興味を持ち始めたお子さん、１人で音読できるお子さんまで、幅広くお使いいただけます。発達に個性があるお子さんや、平均的な発達をするお子さんなど、すべてのお子さんが対象です。

☆次のページにワクワクする変化を、アイコンタクトをとりながら、お子さんとお楽しみ下さい。

☆何回も読んで理解言語が定着してきたら、ページをめくった後、是非すぐに読まずにじらして待ってみて下さい。お子さん自ら言ってくれるかもしれません。

☆表出言語の促しには、ヒントを出す方法があります。
例えば、
大人が、「さか・」までゆっくり言います。するとお子さんが、「な」と語尾のみ言います。
次に、大人が「さ・・」を言います。するとお子さんが、「かな」と続けて言います。
一文字ずつ抜いていくと促されます。これは違う名称でも可能な方法です。

☆お子さんは、繰り返しが好きで安心しますので、要求があれば何度でも読んであげて下さい。親子のコミュニケーションの時間が増えることは、発達を促すための土台となります。

☆絵本は、１ページ目から順番に読むのが当たり前のように思いますが、お気に入りのページがあるお子さんは、そのページからはじめても良いと思います。はじめは本人のペースに合わせてあげて下さい。絵本好きになってもらうことが一番です。

☆お子さんのお気に入り♡の１冊になることを願っています。

いとうりさ

いとう　りさ

東京都生まれ。短大にて幼稚園教諭免許、保育士資格を取り、埼玉県内の幼稚園で7年間勤務。そこで、絵本読み聞かせの大切さを学ぶ。退職後は2人の子育てに専念。

その後保育士として家庭保育室、某市立障がい児通園施設、学童にて勤務。

平成26年　株式会社スペクトラムライフのスタッフとして入社。児童発達支援、放課後等デイサービスの個別指導療育をする。現在は、某市の児童発達支援センターにて、児童発達支援管理責任者として勤務している。

超早期療育の方法論がきっかけとなり、自身初の絵本出版となる。

Instagram
@y3member_679_110

Y3MEMBER_679_110

さかな　さかな　さかな

2023年 5月1日　初版第1刷　発行

作　いとうりさ

発　行　株式会社 三恵社

所在地：〒462-0056　愛知県名古屋市北区中丸町 2-24-1
TEL：052-915-5211　**FAX**：052-915-5019
URL：www.sankeisha.com　**e-mail**：info@sankeisha.com

ISBN978-4-86693-786-1 C8793 ¥1800E